KB098396

우리라는
꽃이
피어나다

저자 김미주

제주에서 양육자들과 아기들이 함께할 수 있는 놀이기획자.
육아 일상을 기록하며 나와 우리의 육아가 작품이되길 바라는 일상 기록가.

우리라는 꽃이 피어나다

김미주

차례

책 / 소 / 개

처음으로 우리의 기록을 남기게 된 '우리라는 꽃이 피어나다'는 육아하면서 느꼈던 감정, 에피소드 등 나만 품고 있던 이야기들을 풀어내는 에세이입니다.

우리 아이들의 성장을 볼 수 있고 함께 기억하고자 합니다.

네 가족이 함께 풀어가는 소중한 이야기 공간입니다.

서문

다른 세계로의 초대

나름 유아교육을 전공했다고 나는 아이들을 본 경력이 있으니 내 아이의 육아도 당연히 편할 것으로 생각했다.

누가 알았을까, 내 아이 한 명이 20명의 한 반 아이들보다 더 어렵다는걸.

이 아이는 온전히 나에게 모든 것을 기대고 있고 나 하나만 의지하고 있다. 이 아이를 난 정말 잘 책임지고 지켜나갈 수 있을까!

육아는 내가 그동안 보고 배웠던 것보다 더 새롭고 밝았다 어두웠다 날 들었다 놨다.

웰컴 투 육아 월드...

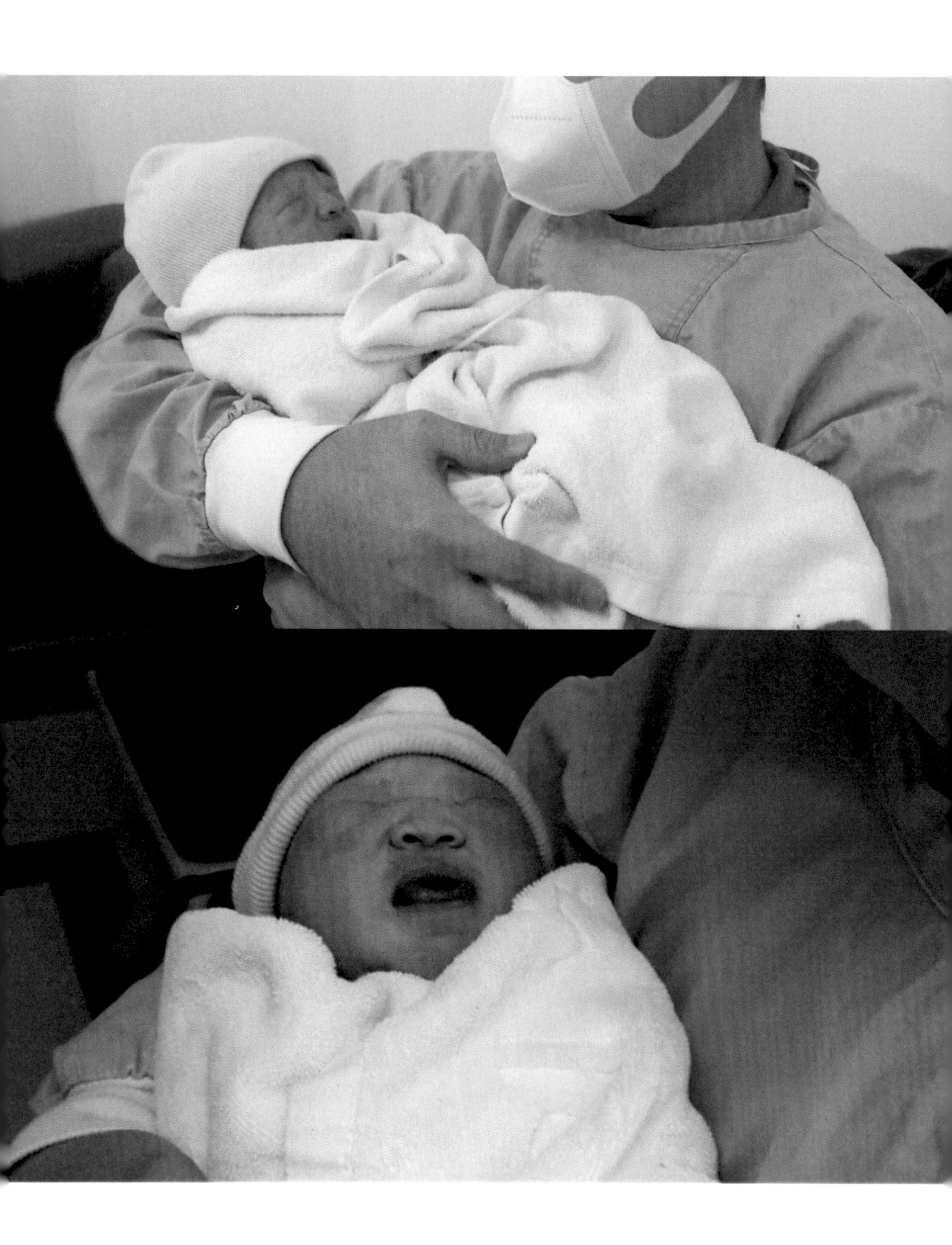

만남

강렬했던 너희와의 만남을 어찌 잊으리!

세상에서 제일 무서웠던 출산이란 고통을

오로지 너희만 바라보며 겪었다.

세상 살며 수술이라고는 한 번도 해보지 않았던 내가, 용기 내어 수술을 외쳤다!

나도 살아보려고.

그리고 만난 너희의 모습은 정말 못생겼구나. ^^

의사 선생님들과 간호사 선생님도 웃었던 기억이 그 아픈 와중에도 살포시 들렸다.

하지만 정말 못생겼는걸요.

누굴 닮은 거야 대체.

엄마를 닮았으면

태어나도 바로 예쁠 줄 알았지.

물만두 두 개가 뽕 나왔다. ^^

점점 예뻐질 거야 걱정마 !

그리고 세상 밖으로 나오느라 고생했어!!!!!

밝은 세상으로의 첫걸음을 축하해!

엄마도 아빠도 최선을 다해 너희를

지켜볼게! 우리 잘해보자!!

이렇게 우리의 첫 이야기는 시작된다!

둘째를 만나게 된 이유

첫째만 낳아 외동으로 잘 키우자는 생각으로 지내다가 아이가 점점 커가는 모습에 둘째가 있으면 좋겠다는 생각이 조금씩 들기 시작했다. 첫째 때 생각보다 힘들었던 출산 과정들이 생각나 고민도 했지만 그래도 우리 닮은 아기 하나 더 있으면 좋겠지라는 생각에 준비하게 되었고 첫째가 생겼던 것처럼 둘째는 쉽게 찾아오는 줄 알았다. 하지만 그때의 몸과는 달라서일까, 말로만 듣던 유산이라는 것들이 나에게도 찾아올 줄은 몰랐다. 요새 화학적 유산은 아주 흔하고 자주 있는 일이라고 하지만, 처음 겪는 나에게는 너무 큰 충격의 연속이었다.

임신테스트기의 두 줄이 지속되는 걸 보며 안심해도 되겠다고 생각하던 찰나 첫째가 유난히 안아주라고 표현을 많이 하며 안아 들었는데 그게 배에 무리가 많이 갔는지 정말 일주일은 복통으로 주저앉을 것만

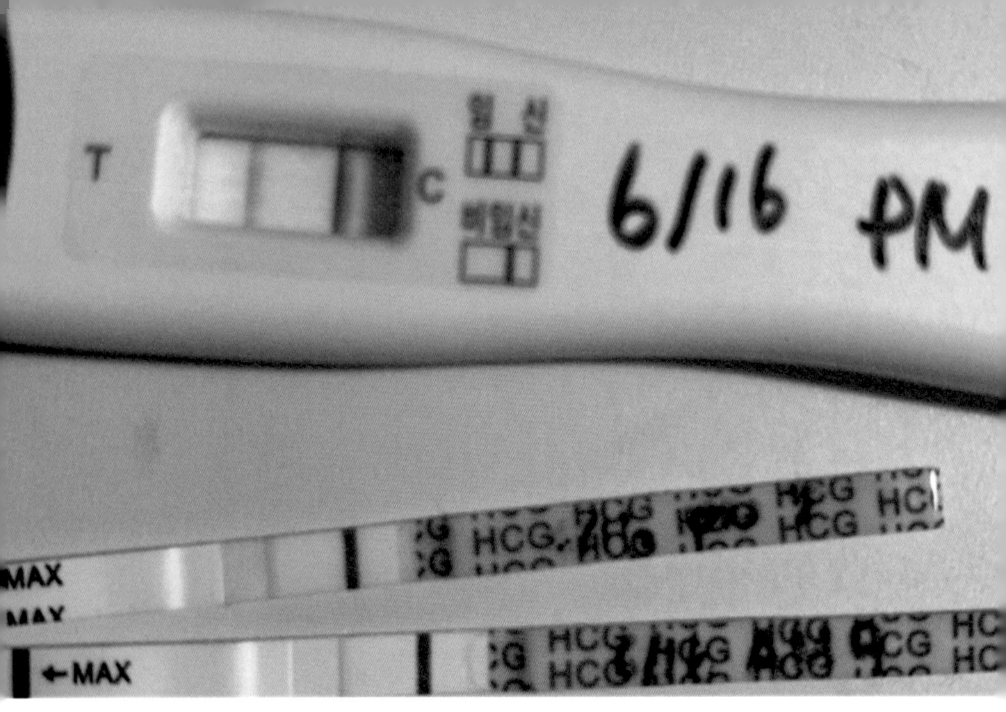

같았다. 생리통이 원래 심했지만, 약이 듣지 않고 식은땀이 나고 '아 이렇게 아기가 없어지는 거구나'라는 생각에 지키지 못한 슬픔까지 찾아와 모든 상황이 나 때문인 것 같고 눈물만 났다. 그 와중에 공감하지 못하고 나 때문이라고 탓하는 남편은 어찌나 보기가 싫던지!! 많은 걸 바라는 게 아닌데 그저 작은 위로 하나면 괜찮았을 것 같은데 그때의 말 하나하나가 나에게 더 상처처럼 마음에 꽂혀있던 것 같다. 이후에도 두 번의 화유가 더 있었고 '아, 우리는 첫째만 잘 키우라는 이야기인가 보다'라는 생각에 포기하고 일상을 이어 나갔다.

그런데 포기를 하면 생긴다는 말이 있던데 아니나 다를까 갑작스럽게 둘째는 찾아왔다! 이 아기는 정말 잘 지켜내고 싶어서 병원 진료 전까지 얼마나 조심했는지 모른다. 그리고 집을 잘 지었다는 이야기와 함께 첫째 때는 경험 해보지 못했던 입덧이 함께 찾아와 '와 나 정말 임신했구나!'라는 사실을 깨닫게 해주었다. 임신은 정말 절대 쉽지 않고 이 작은 아기를 지키고 잘 키우는 것 또한 나의 임무가 되었다.

우리에게 찾아와줘서 고마워!

없었음 어쩔번 :)

"아기 때는 손 타니까 자꾸 안아주지 마"

"엄마, 아빠가 편하려면 따로 자야 해"

이 말은 두 아이 키우면서 가장 싫어했던 두 문장이다.

많은 사람이 자신들의 양육 방식을 다른 사람들에게도 적용하고자 하는 모습들을 많이 볼 수 있다. 두 이야기 모두 부모를 편하게 하기 위함이라고 하지만,

아기의 시간은 우리보다 더 빠르고 품에 안을 수 있는 시간은 생각보다 더 짧다.

언제 이렇게 온 마음 다해 안아볼 수 있을까!

폭풍 성장 시기 엄마와 꼭 달라붙어 서로의 냄새를 맡으며 마음의 안정을 찾아간다.

싫어 나 안지 마! 라고 하기 전까지 꼭 표현해 줘야지.

육아에는 늘 눈물이

첫째를 낳고서 정말 혼자 하는 육아가 너무 힘들어 날마다 눈물로만 지샜다.

나는 왜 아기를 낳았는가

내가 이 아기를 책임질 자신 있을까

왜 우니 나도 울고 싶다. 매일 베개에 얼굴을 파묻고 소리를 지르고 그렇게 육아를 버텨왔다. 그런 내가 첫째가 좀 컸다고 둘째를 갖고 싶어 하다니!

남편은 이런 일상이 또다시 되풀이될까 봐 "아니!" 거부가 먼저였다.

나는 좀 궁금한데!!

그렇게 고민에 고민 끝에 5년 만에 둘째를 만났다!

그런데 첫째 때와 다른, 겪어보지 못했던 일들이 자꾸만 생겨나고

날 눈물 나게 한다.

제발 그만 부셔!!!

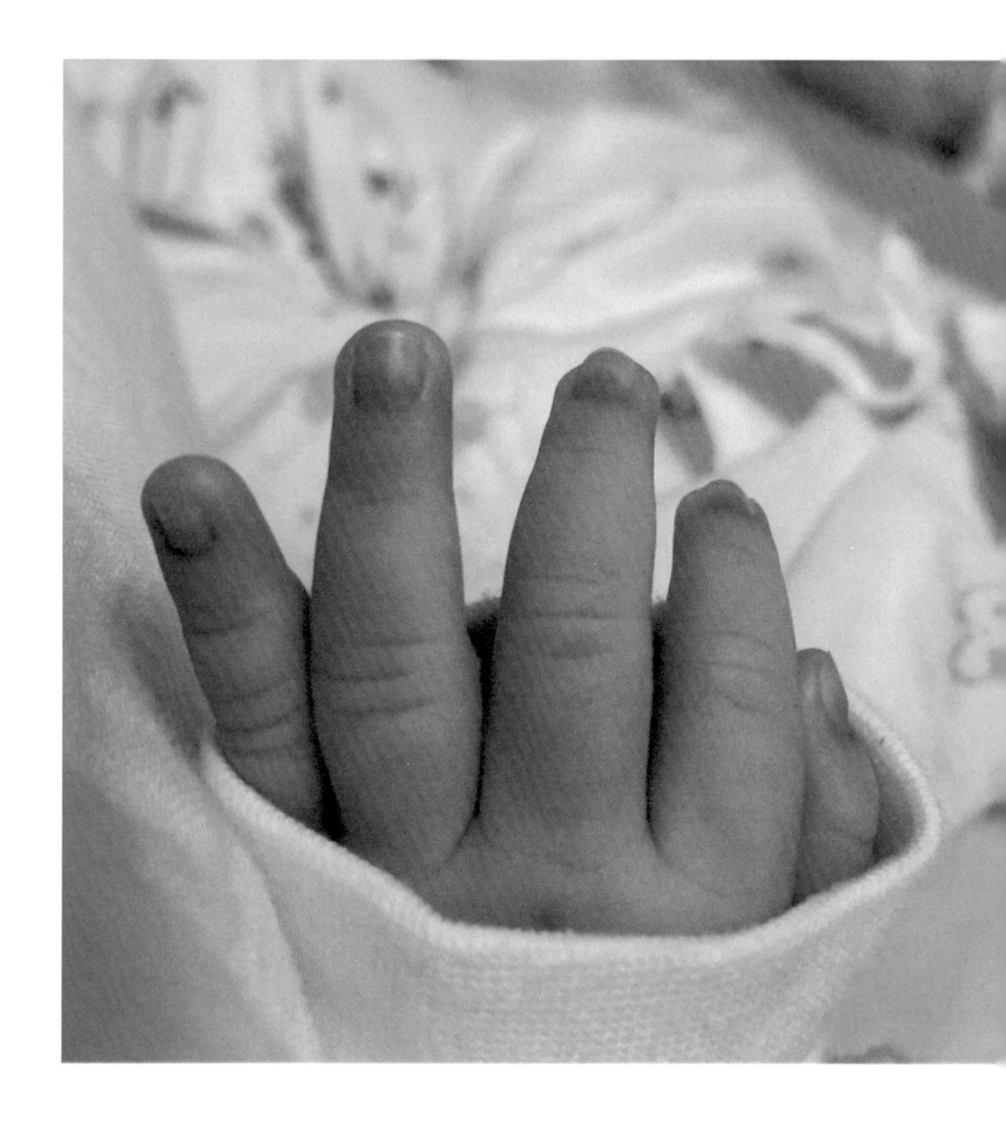

덩그러니

열 달을 엄마 뱃속에서 꼬물거리며

한 몸인 듯 있다가 갑자기 바깥세상을 구경하려니 너도 낯설고, 널 품에 품고 있던 엄마도 휑해진 품이 너무도 어색하다.

덩그러니 혼자 누운 모습을 보니 괜스레 눈물이 난다. 그래도 이제 진하게 널 온몸 다해 안아줄 수 있으니 꽈악 안아줄게,

모든 사랑을 느낄 수 있도록

너의 꼬순내

첫째 때는 아기 냄새가 뭐야 라는 생각조차 할 수 없을 정도로 모든 것이 서툴고 아쉽고 어려움이 함께였다. 그런데 이 모든 게 경험이라고 둘째는 뭐야!

태어날 때부터 너무 예쁘잖아!

매일 매일을 코를 가까이에 대고 냄새를 맡는다. 중독성 있는 너의 향기!

꽃 보러 가자

봄의 꽃눈 벚꽃이 지고 나면 더 진한 색과 풍성함을 가진 겹벚꽃이 나타난다. 둘째가 태어나던 겨울과 봄 사이, 아직 외출은 이르다고 하지만 나의 환기를 위해 꼬물이를 안고 겹벚꽃을 보러 간다.

너에게 보여주던 첫 봄날의 모습, 눈 부신 햇살에 내내 찡그리던 너의 표정만 기억난다. 그것도 경험이야 햇살을 느껴봐!

나도! 나도! 괴물

속이 타는데 콜라 한 번 마셔볼까

캔 따는 소리에 나도 나도!

달그락 달그락 그릇이 부딪치는 설거지 소리에 엄마! 나도 나도!

청소기 한 번 꺼내는데 나도 나도!

화장실에서라도 잠깐 쉬어볼까 앉아 보려 하면 엄마!!!

나도! 나도!!

나도나도! 따라갈래! 나도나도 할래!

몰래 숨어도 뒤에서 습격하는 나도 괴물!

어디서 나타난 거야 !!!!

Libero
WET WIPES

평화, 고요, 안정, 여유

첫째 때는 상상도 할 수 없었던 단어들,

매일 아침 눈을 뜨던 두려움에서

너를 보며 행복을 느끼고 사랑을 느끼며

너를 조금이라도 내 눈에 넣고 이때를 기억하기 위해서

부단히 노력한다.

건강이 최고야!

둘째의 정수리 근처에 피가 뭉쳐있는 듯한 반점 같은 것들이 보였다. 한 번도 본 적 없는 것들이라 병원에 가봤고 처음엔 그저 지루성 두피염이 심해져서 붉어진 거라고 했다. 열심히 보습과 씻기에 열심이었는데 점점 더 진해지는 것 같았고 다시 병원에 가서 물어보니 정수리에 있는 친구의 이름은 '혈관종'이라는 진단을 받았다. 생전 처음 듣는 이름이고, 하필 머리에 생겨 내 머리도 까매지는 것 같았다. 왜 나에게 이런 일이 생기는 거야, 내가 건강하지 않았기 때문에 아기가 아픈 건가, 정말 많은 생각들을 했다. 제주도와 서울을 오가며 혈관종을 잘 본다고 하는 곳들을 찾았다. 절망이 찾아올까, 슬픔이 찾아올까, 매번 마음은 조마조마했다. 병원 진료실로 들어가는 그 길이 너무나도 길고 어둡게 느껴졌었다. 다행인지 둘째의 머리에 있는 혈관종은 아이가 성

장할수록 옅어지고 점점 사라질 거라고 이야기 해주시며 요새 신생아 3명 중 1명은 생기는 거라고 안심 아닌 안심의 이야기를 해주셨다. 하지만 상처로 피가 날 경우 매우 위험하므로 늘 신경 써야 하는 친구라고 주의 사항과 별다른 처방 없이 에피소드 아닌 에피소드가 생겨버렸다. 그런데 정말 백일이 지날 무렵까지 점점 커지고 짙어지던 이 녀석은 돌이 지나고 옅어지기 시작했다! 정말 사라지는 거구나! 하고 신랑과 안도의 한숨을 내쉬었다.

아프지마 아가야!

ENS
EasyGoWagonPlus

가장의 무게

뜻밖의 상황에 가장의 무게를 겪게 되다니!

아이가 둘이 되니 짐도 두 배! 무게도 두 배!

끌고 다닐 친구들도 이리 많을 줄이야!

하지만 멈출 수 없는 우리의 발걸음!

어둠을 밝혀주는 배

어김없이 여름은 찾아오고 바다에 나가 있는 많은 배들을 보며 계절의 변화를 느낀다.

유일하게 가장 어두운 때에 밤을 밝혀주는 한치 배들을 보는 게, 마치 삶의 낙인 것 같은 느낌이랄까? 어둠을 싫어해서 저 밝음이 더 좋은 걸까, 한치 철이 가장 좋다!

고요하고 어둡던 바다에 한 줄기 빛 같은 느낌의 배들, 늘 내 마음 같았으면.

할아버지는 내 사랑

할머니 할아버지에게도 자주 볼 수 없던

웃음이 아이들을 통해 카메라에

자주 담기고는 한다.

너희들은 모두를 웃음 짓게

만들어 주는 존재!

josun

물에서 제일 행복한 가족

백일도 되기 전부터 누나를 따라다니느라 바삐 움직인 둘째는 여러 가지 물을 만나보았고 그래서인지 물놀이를 정말 정말 좋아한다. 그만 나와 주면 좋겠는데, 불러도 듣지 않을 정도로. ^^

그래도 이런 맛에 수영장으로 놀러 다니지!^^

바라만 보아도 좋은 사이

이렇게 보기만 해도 마음이 몽글몽글

바라보고 있어도 보고 싶은 마음이

생길 수 있을까? 너희들의 힘은 참 대단해!

알다가도 모를 우리의 마음.

이상한 나라의 앨리스

'바쁘다 바빠!' 마치 현대사회의 직장인 우리들을 보는 것처럼 토끼는 우리가 되고 앨리스는 아이들이 된다. 우리를 열심히 따라오고 그 안에서 다양한 경험을 하고 또 고민하고 있을 때 뜻밖의 해결 방안을 제시해 주고는 한다. 아이들로 하여금 배우고 성장하는 것들이 결코 적지 않음을 느낀다.

난 이제 이만큼 할 수 있어!

상상력과 표현력이 풍부해진다.

보고 그리는 기술이 늘어가고 자신의 마음을 제대로 표현하기 시작한다. 선 하나하나 마음을 다해 그림을 그리고, 관찰하는 능력이 점점 커진다. 멋진 작품이 또 하나 완성되었네!

누굴 닮았는지 하나를 완성하려고 해도 자기 마음에 들 때까지 완성하지 않는다.

그래, 스스로 그리고 만들며 느끼는 성취감을 마음껏 느껴봐! 느려도 괜찮아!

완성되면 늘 맘껏 감상해 볼게!

Enjoy!

엄마도 너도 첫 도시락!

첫째가 한창 성장 시기에 코로나가 찾아왔고

정말 어린이집에 가는 둥 마는 둥 3년이라는 시간을 아무런 추억이 없이 거의 지내왔던 것 같다. 그리고 모든 것들이 제자리로 돌아가기 시작하며 드디어 소풍날 도시락을 만들게 되었다. 화려하진 못해도 꼭 먹고 싶은 도시락을 만들어 주겠다고 한 약속을 지켜주기 위해서 검색에 검색과 귀여운 모양틀들을 찾아가며 완성해 냈다!

"매일 똑같이 흘러가는 하루
지루해 난 하품이나 해."

-자우림'일탈'-

학교 다닐 때는 그저 재미있는 노래다 하면서 흥얼거리기나 했지.

매일 똑같은 육아 패턴과 일상에 너무

지루하지만 하품할 틈이 없어!!

왜 육아는 쉴 틈이 없는 건가요? 일도 해야 하고 육아도 해야 하고.

엄마는 만능이어야 하는데. 일탈은 정말 엄마에게 필요한 단어였다구.

감귤밭에서

이가 없으면 잇몸으로! 그 안에서 맞는 걸 찾아 사용하고 해결 방법을 찾는다. 우린! 애들을 쉽게 이동할 수 있는 방법을 찾다가 유모차를 꺼내 들었고, 밭의 험난한 땅에서는 한 걸음 한걸음 이동하기가 아주 어렵다는 사실에 절망하고 어떻게 할지 고민하고 있었다. 그러던 찰나 눈에 띈 귤 이동 카트~! 귤밭의 땅에 가장 최적화되어 있고 둘이 타도 넘어지지 않겠다는 생각에 바로 태워보았다. 생각보다 안정감 있는 이동에 아이들은 놀이기구 타는 것처럼 즐거워하고 나무를 헤쳐 지나가는 걸 두려워하지 않게 되었다. 그래! 그렇게 카트와 친해지는 거야 ^^

앞으로 너희들이 겨울이 되면 늘 이용하게 될 친구들이란다! 노랗게 열린 귤들은 우리가 함께 따야 할 친구들이야.

크리스마스

네 명의 가족이 되어 처음 맞이하는 크리스마스! 셋보다는 북적북적했고, 서로 재잘재잘 거리느라 시끄러웠고, 산타할아버지를 만나기 위해 꼬박 밤을 새우겠다는 의지를 다지는 첫째를 볼 수 있었다. 물론 잠이 들었다가 둘째의 울음소리에 잠시 깨어났지만^^

동생이 태어나서 마음대로 하지 못하는 게 많아 속상하고 싫다고 표현하기도 하는 첫째지만, 또 웃기는 일들이 많이 생긴다고 금세 마음이 풀리곤 하는 첫째다.

엄마 아빠에겐 너희들이 가장 멋진 선물이야!

생일을 축하해 !

건강하고 씩씩하게

잘 자라주어서 고마워!

벌써 넷이 지지고 볶고

성장한 게 일 년이나 지났다니,

우리도 육아 하느라 참 많이 애썼다!

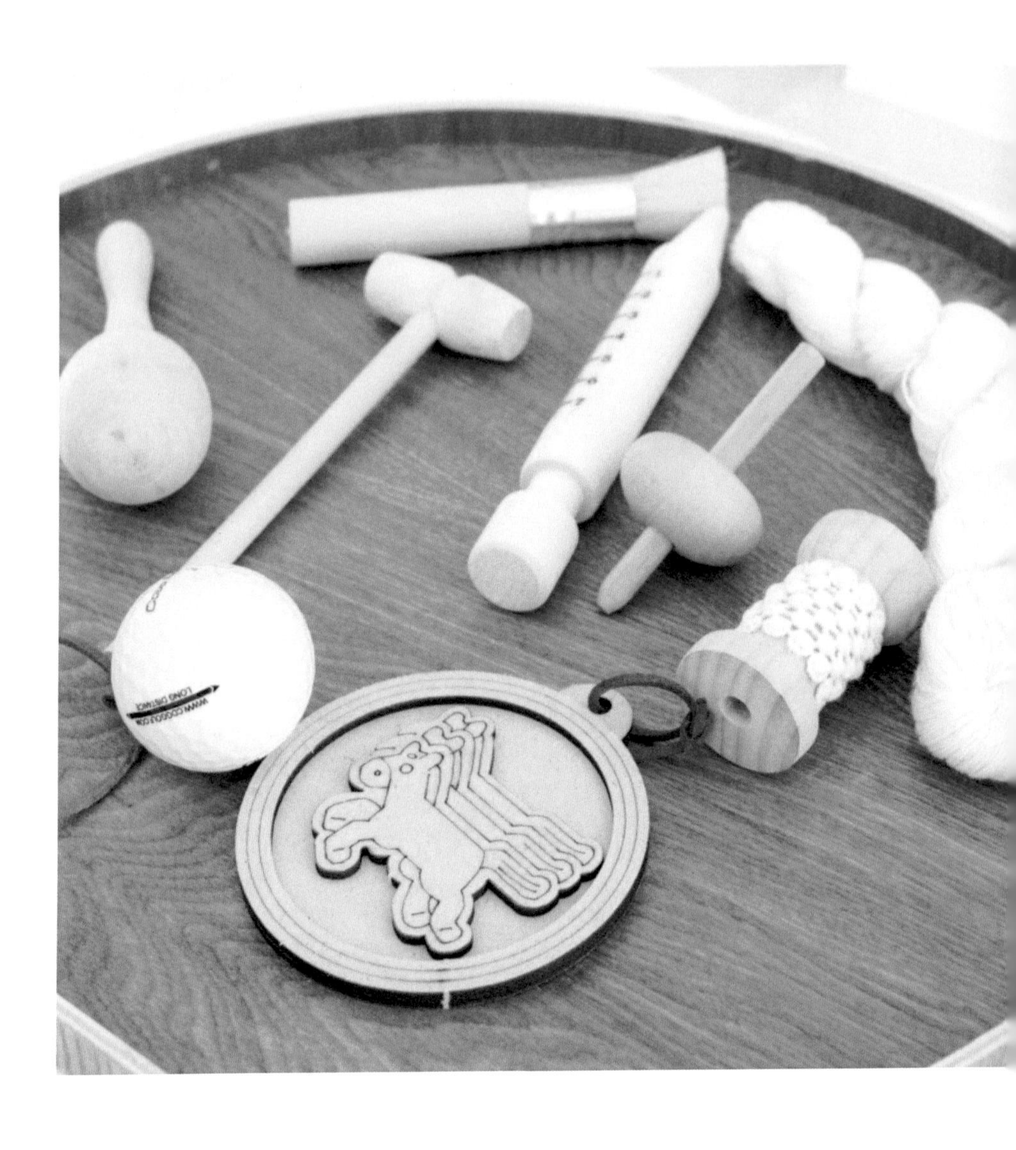
LONG DISTANCE

두근두근 돌잡이

마치 아이의 미래를 보는 것 같은 느낌의, 아기 인생 1년 중 일생일대의 가장 긴장되고 두근거리는 현장이 아닐까 싶다.

과연 무엇을 잡을까?

아들의 픽은!!!! 마패!!!!!!

좋은 사람이 되어보렴, 기대해 볼 게 아가!

진실한 사랑

엄마가 좋아하는 동백의 꽃말은

진실한 사랑,

바라만 보아도 행복한 꽃들 사이

나의 사랑 너희와 함께 걸어본다.

그리고 다시 봄,

둘째도 비로소 완연한 봄을 느낄 수

있는 때가 되었다!

엄마가 좋아하는 따스한 봄을

맘껏 느껴보자!

매번 봄은 새로운 시작과 마음가짐을 또다시

잡게 되는 날 위한 계절!

힘든 일들이 있어도 늘 봄은 온다!

가족이 되어가기

"엄마, 여기 모래가 반짝반짝 아름답다, 파도 소리도 귀 기울여서 들어봐 어때? 우리가 만났던 모래들보다 엄청 보드라워! "

아이의 표현력은 내가 상상하는 그 이상으로 이야기 해낸다. 어느새 이만큼 자라있는 거야. 너와의 시간은 왜 이리 빠르기만 한 건지.

그리고 나아가 아이의 이야기에는 늘 가족과 함께하고 싶다는 얘기가 담겨있다.

"다음엔 진짜 바다에 가서 이렇게 놀고 싶다! 얼마나 행복할까?"

첫째의 마음 조각 하나를 완성하기 위해

바다로 갈 날짜를 찾아본다.

새롭게 맞춰질 마음 조각을 위해서.

온통 너희들로 가득해

이제 나의 모든 공간에는 아이들로 가득하다.

떼려야 뗄 수 없는 우리 사이

앞으로 함께 채워나갈 우리의 이야기가

더 궁금해진다.

우리의 첫 이야기, 끝!

우리라는 꽃이 피어나다

발 행 | 2024년 07월 30일
저 자 | 김미주
사 진 | 김미주
표지사진 | 김미주
디자인 | 오은정
인권표현검수 | 이지민
바른우리말검수 | 이지민
후원 | 제주특별자치도, 제주문화예술재단
주관 | 서귀포 오아시스
미디어에디터 | 최인서
작품편집, 에이전트 | 박산솔, 이정숙, 이선경
펴낸이 | 한건희
펴낸곳 | 주식회사 부크크
출판사등록 | 2014.07.15.(제2014-16호)
주 소 | 서울 금천구 가산디지털1로 119, SK트윈타워 A동 305호
전 화 | 1670 - 8316
이메일 | info@bookk.co.kr

ISBN | 979-11-410-9825-4

www.bookk.co.kr
본 책은 저작자의 지적 재산으로서 무단 전재와 복제를 금합니다.

2024 엄마의 활주로 '함께육아에세이'의 취지에 맞게 작가의 감정 표현과
아이의 언어 표현을 지키는 방향으로 교정 교열 하였습니다.

본 책은 강원교육모두체, 학교안심(확장)바른돋움체가 사용되었습니다.

본 책은 대한민국 저작권법의 보호를 받는 저작물입니다.
본 책은 제주특별자치도와 제주문화예술재단의 후원을 받아 제작되었습니다.

Jeju JFAC 제주문화예술재단